bir albüm

İSTANBUL *CONSTANTINOPLE*

an album

OĞLAK ALBÜMLERİ

bir albüm

İSTANBUL CONSTANTINOPLE

an album

Açıklamalar / Text : Nuri Akbayar

İngilizce'ye çeviren / English translation : Sylvia Zeybekoğlu

Oğlak Albümleri

İstanbul / Bir Albüm - Constantinople / An Albüm
Albüm fotoğraflarının orjinalleri: Constantinopel, Hoßbuchhandlung
Otto Keil, Constantinopel, *circa* 1900
Açıklamalar / Text : Nuri Akbayar
İngilizce'ye çeviren / English translation : Sylvia Zeybekoğlu

Kurumsal kimlik danışmanı: Serdar Benli
Kitap tasarımı: Derya Diblen
Dizgi düzeni: Matrix 9.5
Ofset hazırlık: Oğlak Yayınları
Baskı: Oğlak Baskı Hizmetleri
Tel: (0-212) 612 73 05

Oğlak Yayıncılık ve Reklamcılık Ltd. Şti.
Genel Yönetim: Senay Haznedaroğlu
Yayın Yönetmeni: Raşit Çavaş
Zambak Sokak 29, Oğlak Binası, 80080 Beyoğlu-İstanbul
Tel: (0-212) 251 71 08-09, Faks: (0-212) 293 65 50
www.oglak.com, e-posta: oglak@oglak.com

Birinci baskı: 2000
ISBN 975 - 329 - 315 - 1

bir albüm

İSTANBUL CONSTANTINOPLE

an album

Galata Köprüsü

Bu üçüncü Galata Köprüsü. 1845 ve 1863'te yapılan ilk iki köprü kısa sürede hizmet dışı kaldıktan sonra Fransızlar'a yaptırılan yeni köprü 1877'de hizmete açılmıştı. Ahmet Rasim'in, ahşap döşemelerindeki aralıkların hayli ayakkabı topuğunu esir aldığını söylediği işte bu köprüdür. Öndeki beyaz gömlekliler, köprü müruriyesini (geçiş ücreti) toplayan görevliler. Köprünün sağında Haliç-i Dersaadet Şirketi'nin, solunda ise Şirket-i Hayriye ile İdare-i Mahsusa'nın iskeleleri yer alıyor. Onların sırasında pencereleri gözüken yapı gümrük idaresi. Tam karşıda Yeni Valide Camii. Arkada solda yedi tepeli kentin ikinci tepesini süsleyen Nuruosmaniye Camii, sağda ise üçüncü tepeyi taçlandıran Beyazıt Camii. En sağda Beyazıt Kulesi'nin yanı başındaki görkemli yapı ise Sadrazam Âli Paşa'nın konağı.

The Galata Bridge

The bridge shown in the picture is actually the third "Galata Bridge." Two earlier Galata bridges were built in 1845 and 1863, only to become unusable within a short period of time. Subsequently, the French were commissioned to build a new one, which was opened in 1877. This is the bridge that, according to Ahmet Rasim, trapped a great many heels in the spaces between its wooden planks. The men in front, in long white shirts are the bridge toll collectors. To the right of the bridge are the boat landings of the Haliç-i Dersaadet Şirketi (the Istanbul Golden Horn Company), and to the left, those of the company running the city boats, the Şirket-i Hayriye and the İdare-i Mahsusa (the State Maritime Administration). The building whose windows can be seen just beyond them is the customs office. At the end of the bridge, right in the middle of the picture is the Yeni Valide Mosque, behind which, to the left, at the top of the second of the seven hills of the city, is the Nuruosmaniye Mosque. Crowning the third hill, to the right, is the Beyazıt Mosque. The magnificent building to the far right, next to the Beyazıt Tower, is Mansion of the Grand Vizier Ali Pasha.

Ayasofya

Bizans'ın bu muhteşem eseri, Osmanlı döneminde camiye çevrildikten sonra 16. yüzyılda Mimar Sinan'ın eliyle onarılıp güçlendirilmiş, avlusuna inşa edilen yapılarla I. Mahmud döneminde (1730-1754) tam bir külliye haline gelmiştir. Fotoğrafın alındığı cephede en önde görülen küçük kubbeli yapı Sultan Abdülmecid'in İsviçreli mimarlar Gaspare ve Guiseppe Fossati'ye inşa ettirdiği muvakkithanedir. Onun arkasındaki kubbeli mekân ise I. Mustafa (ö. 1639) ile Sultan İbrahim'in (ö. 1648) gömüldüğü, sonradan türbeye dönüştürülen vaftizhanedir. Bu yapı Osmanlı döneminde önceleri yağhane olarak kullanılmıştır. Sağdaki büyük kubbeli yapı ise Mimar Dâvud Ağa'nın eseri olan III. Murad (ö. 1595) türbesidir..

Hagia Sophia

After being converted by the Ottomans into a mosque, this magnificent example of Byzantine architecture was restored, under Sinan's supervision, in the 16th century. With the addition of the buildings constructed in the courtyard during the reign of Mehmet I (1730-1754), it became a virtual külliye (a complex of religious and philanthropic institutions). On the side seen in the photograph, the small domed building right in front is the clockroom of the mosque, which Sultan Abdülmecid had commissioned the Swiss architects, Gaspare and Guiseppe Fossati to build. The domed edifice behind that is the baptistery that was converted into a mausoleum where Mustafa I (d. 1639) and Sultan İbrahim (d. 1648) are buried. During the Ottoman period, this building was used at first as yağhane. The large domed building on the right, built by the architect Mimar Davud Ağa, is the tomb of Murat III (d. 1595).

Ayasofya'nın iç görünümü

Üst galeriden alınan bu fotoğrafta yapının iç mekânına Osmanlı döneminde eklenen ve yapıya cami kimliği kazandıran küçük yapılar topluca görülüyor. Mihrabın sağında mermer minber, onun önünde 16. yüzyıldan kalma müezzin mahfili, mihrabın solunda Fossati kardeşlerin 1846-1849 arasındaki büyük onarımda yeniden inşa ettikleri hünkâr mahfili. Galerilerin önüne sıralanmış levhalarda (tamamı sekiz tanedir) Allah, Muhammed, Ebubekir ve Ömer adları (diğerlerinde Osman, Ali, Hasan ve Hüseyin) yazılıdır. Ünlü hattat Kazasker Mustafa İzzet Efendi'nin (1801-1876) eseri olan bu levhalar Ayasofya 1934'te müze yapılınca yerlerinden indirilip dışarıya çıkarılmak istenmiş, ancak kapılara sığmadığı görülünce bir kenara konulmuş, 1949'da onarılarak yeniden asılmıştır. 7.5 m yüksekliğindeki bu levhalar İslam dünyasında bugüne kadar yazılmış en büyük çaplı hat örnekleridir.

An interior view of Hagia Sophia

This photograph, taken from the upper galleries, is a bird's-eye-view of the small additions made to the building during the Ottoman period through which the building acquired its identity as a mosque. To the right of the mihrap (prayer niche indicating the direction of Mecca) is the marble minber. In front of that is the raised platform for the müezzin, constructed in the 16th century. To the left of the mihrap is the sovereign's private worship chamber, completely reconstructed during the great renovation carried out between 1846-1849 by the Fossati brothers. In front of the galleries, immediately seen from the vantage point of the photogaph, there are four framed medallions, bearing the names of Allah, Muhammed, Ebubekir, and Ömer (on four others are the names Osman, Ali, Hasan, and Hüseyin). These medallions are the work of the famous calligrapher Kazasker Mustafa İzzet (1801-1876). When Hagia Sophia was turned into a museum in 1934, they were taken down from where they had been hanging with the intention of removing them from the museum. However, upon seeing that they could not be gotten through the doors, they were simply left to one side. In 1949 they were repaired and once again hung up. At 7.5 meters in height, these inscribed medallions are the largest examples of calligraphy in the Islamic world.

Sultan Ahmed Camii

Denizden görünüşüyle İstanbul'un siluetinin belirleyici ögelerinden olan cami, büyük bir külliyenin ana mekânıdır. I. Ahmed adına 1609-1619 arasında inşa edilen külliyenin Mimarı Sedefkâr Mehmed Ağa'dır. Osmanlı mimarlığında klasik üslubun son büyük örneği olan yapının ayırıcı bir özelliği de Osmanlı ülkesindeki altı minareli tek cami oluşudur. Meydandan alınan bu fotoğrafta sağda görülen beşik tonozlu yapı, külliyenin bir parçası olan sıbyan mektebidir. Önde ise I. Teodosius döneminde (379-395) Mısır'dan getirilen Dikilitaş ile I. Constantinus'un (324-337) Delphi'deki Apollon Tapınağı'ndan getirdiği Burmalı Sütun görülüyor.

The Sultan Ahmed Mosque

The mosque which is the principal area of the large külliye, is one of the distinctive components of the Istanbul skyline as viewed from the sea. The külliye was built for Ahmed between 1609-1619 by the architect Sedefkâr Mehmed Ağa. The building is the last great example of the classical style in Ottoman architecture. It is unique in that it is the only mosque in the Ottoman Empire to have six minarets. On the right, the barrel-vaulted building forming part of the külliye is the primary school. Seen in front of the square, is the obelisk brought from Egypt during the reign of Teodosius I (379-395) and the Serpent Column brought from the Temple of Apollo in Delphi by Constantinus I (324-337).

Sultan Ahmed Camii'nin iç görünümü

Fotoğrafta caminin "Mavi Cami" olarak ünlenmesini sağlayan renkli pencere vitrayları ve zengin çini dekorasyonu farkedilmiyor. Merkezî kubbeyi taşıyan iki fil ayağının çevresine sıralanmış solda hünkâr mahfili, sağda müezzin mahfili, arada mihrap, onun sağında da ucu gözüken minber yer alıyor. Soldaki fil ayağının altında ise ahşap vaiz kürsüsü görülüyor.

An interior view of the The Sultan Ahmed Mosque

The colorful stain-glass windows and rich tile decoration for which the mosque is known as "the Blue Mosque" are not evident from the photograph. Surrounding the two pillars which support the central dome, the sovereign's worship chamber is on the left, the platform of müezzin is to the right; between them is the mihrap; and to the right of the mihrap, the minber. Under the pillar on the left is the wooden preacher's pulpit.

Sultan Ahmed Meydanı

Bizans'ın Hippodrom'u Osmanlı döneminde Atmeydanı adını almış ve kentin en büyük gösteri alanı olma özelliğini sürdürmüştür. Meydanın sağ tarafını boydan boya kaplayan 16. yüzyıldan kalma İbrahim Paşa Sarayı, yıkılan yerlerine eklenen ahşap yapılarla 20. yüzyıl başında bu görünümü almıştı. Meydanın ilerisinde İstanbul'un en eski anıtları Dikilitaş ile Örme Sütun görülüyor. Onların arkasındaki büyük yapı Ziraat, Orman ve Maadin Nezareti. Sağda ona bitişik ayrı çatılı yapı ise Yeniçeri Müzesi. Öndeki Alman Çeşmesi, meydanın son konuğu. Alman İmparatoru II. Wilhelm'in 1898'deki ziyaretinin anısını canlı tutmak amacıyla yaptırdığı çeşme 1901'de açılmıştır.

Sultan Ahmed Square

During the Ottoman period, the Hippodrome of Byzantium assumed the name of Atmeydanı (Horse Square) and continued to serve as the city's largest ceremony grounds. The İbrahim Pasha Palace, built in the 16th century, covers the entire right side of the Square. The appearance of the palace in the 20th century reflects the changes made over the years as wooden structures were build in place of the parts of the palace that were torn down. Beyond the Square, are two of the oldest monuments in Istanbul: Dikilitaş and the Walled Obelisk. The large building behind them is the Ministry of Agriculture, Forestry and Mining. The building with the separate roof right next to it is the Janissary Museum. In front of that is the German Fountain-the last monument in the Square. Built by the German Emperor Wilhelm II with the goal of keeping the memory of his 1898 visit alive, it was opened in 1901.

Beyazıt Kulesi'nden Süleymaniye Camii'ne ve Haliç'e bakış

Bu kez Süleymaniye daha yakından ve kıble yönünden görülüyor. Harbiye Nezareti'nin ek yapılarından Süleymaniye Kışlası yapının bütününü ve avlusunu görmemizi engelliyor. Mihrabın önünde Kanuni'nin, sağında da Hürrem Sultan'ın türbeleri yer alıyor. Onların önündeki kubbeli mekân ise Dârülhadis Medresesi'nin dersanesi. Haliç'e bakıldığında sağda Unkapanı Köprüsü, kıyıda Bahriye Divanhanesi (sonra Bahriye Nezareti), solunda yamaçtaki beyaz yapı Bahriye Merkez Hastanesi. Servilik alan ise Kulaksız Mezarlığı. En solda Hasköy yerleşmesi ve önde Tersane'nin gözleri seçiliyor.

A View of the Süleymaniye Mosque and the Golden Horn from the Beyazıt Tower

This is a closer-range view of Süleymaniye, taken from the direction of Mecca (kıble). The annexes of the Ministry of War make it impossible to see the Süleymaniye Barracks and its courtyard. In front of the mihrap, is the tomb of Kanuni, and to its right, that of Hürrem Sultan. The domed building in front of both is the classrooms of the Darulhadis Medrese. When looking in the direction of the Golden Horn, the Unkapanı Bridge is on the right, the Ministry of the Navy is on the coast, and the white building on the hill to the left of that is the Naval Hospital. Located within the grove of cypress trees is the Kulaksız Cemetery. On the far left, is the Hasköy settlement and in front of that, the Dockyards.

Süleymaniye Camii'nin iç görünümü

Kıbleye göre sol yan sahnı gösteren fotoğrafta sağda fil ayağına işlenmiş mihrap nişi, önünde maksure, onun solunda vaiz kürsüsü, arkada hünkâr mahfilinin bir bölümü seçiliyor.

An interior view of the Süleymaniye Mosque

The photograph is of the left side of kıble. Built into the pillar on the right hand side, is the niche housing the mihrap. In front of that is the maksure (the enclosure reserved for the Sultan). To the left of the maksure is the preacher's pulpit, and behind that, part of the sovereign's worship chamber.

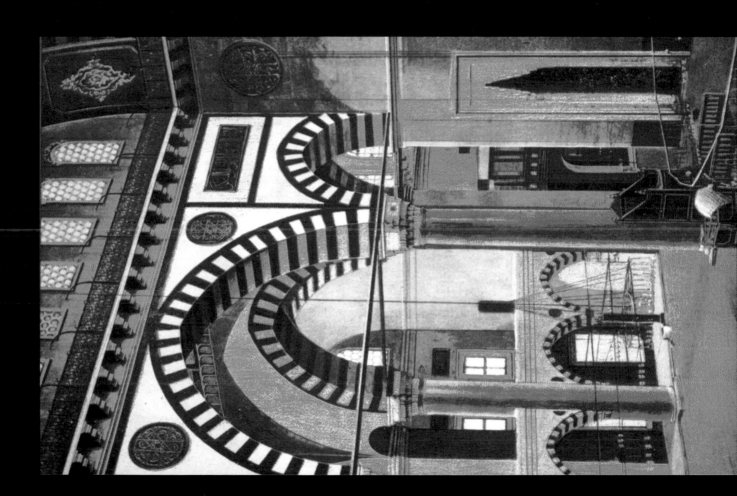

Galata sırtlarından Sarayburnu ve Topkapı Sarayı'na bakış

Terkedilmiş durumdaki Topkapı Sarayı'nın dış bahçesinin çehresi de demiryolu geçtikten sonra bütünüyle değişmiştir. Sur-ı Sultanî'den eser kalmamış, bahçe ve kıyı çeşitli yapılarla dolmuştur. Fotoğrafta bunların bir bölümü gözüküyor. Sarayburnu'na yakın tek katlı yapı erzak anbarı. Onun sağındaki uzun beyaz bina Mekteb-i Tıbbiye-i Şahane'ye yani Askerî Tıbbiye'ye ait. Önünde eski Hamlacılar Ocağı'nın kayıkhaneleri farkediliyor. Kimbilir o sıralar hangi amaca hizmet ediyordu. En sağda bugün restore edilmiş halini gördüğümüz Sepetçiler Kasrı'nın alt yapısı ve üstündeki muhdes yapı seçiliyor. Arka plandaki Harem-Kadıköy kıyıları ile Samanlı Dağları'nın silueti manzarayı tamamlıyor.

A view of Sarayburnu and Topkapı Palace from the Galata hills

The outer garden of Topkapı Palace that was abandoned, completely changed after the railroad passed through it. Nothing remained of the Sultan's Walls; the garden and the coast became filled with an assortment of buildings, some of which are seen in the photograph. The single-storey building close to Sarayburnu is the (food) provisions depot. The long white building to its right belongs to the Imperial Medical School. In front of the school, are the boathouses of the Palace Boatmen Corps. Who knows what purpose they were serving at the time. On the far right, is the lower and renovated upper part of the Sepetçiler Palace, as seen in its present restored form. The landscape is completed by the Harem-Kadıköy shore line and the silhouette of the Samanlı Mountains in the back.

Beyazıt Meydanı, Bâb-ı Seraskeri ve Beyazıt Kulesi

Eski Saray'ın yerini alan Seraskerlik binası 1864-1866'ta yenilenmiş, meydana bakan girişine de sağında ve solunda iki biniş köşkü bulunan iki yanı kuleli mağrib uslubunda bir taç kapı inşa edilmişti. Bahçesindeki 85 metre yüksekliğindeki yangın kulesi ise 1828 tarihlidir ve Osmanlı döneminde İstanbul'da inşa edilmiş en yüksek yapıdır. Bizans döneminde Forum Tauri olarak anılan Beyazıt Meydanı, Osmanlı döneminde de seyyar satıcılarıyla, çevresine sıralanmış kahvehaneleri, çınaraltısı ve çarşı bölgesine yakınlığıyla her zaman canlılığını korumuştur.

Beyazıt Square, Bâb-ı Seraskeri, and the Beyazıt Tower

The Ministry of War Building, which replaced the Old Palace, was renovated between 1864-1866. North African-style towers flank the gate of the main entrance facing the square. To the left and right of the entrance are two Imperial Excursion Pavillions. The 85 meter fire tower in the garden of the Ministry of War Building dates from 1821. It is the tallest structure built in Istanbul during the Ottoman period. Beyazıt Square, known during Byzantium as the Forum of Tauri (Theodosius), became a place of constant liveliness during the Ottoman era because of its street peddlers, coffee houses and its proximity to the çınaraltı and the bazaar.

Kapalıçarşı'da bir sokak

Kapalıçarşı, Nuruosmaniye ile Beyazıt arasında yaklaşık 30 hektarlık bir alanı kaplayan, çekirdeğini oluşturan iki bedestan dışında 61 sokaklı, çevresini saran 40'tan fazla hanla bağlantılı büyük bir alışveriş merkeziydi. Her biri orada faaliyet gösteren esnafın adıyla anılan irili ufaklı sokaklarında daha çok ev ihtiyaçlarına ve giyim-kuşama yönelik her türlü mal satılırdı. Fotoğrafta yağlıkçı esnafının bulunduğu sokak görülüyor. Solda demir şebekeyle çevrili bölümdeki tulumba sandığı ile yanındaki sütuna asılmış baltalar, kancalar ve ipler İstanbul'un her zamanki korkulu rüyası yangına karşı çarşıda alınan önlemleri göstermesi bakımından ilginç.

A street in Kapalıçarşı (Covered Bazaar)

Kapalıçarşı was an expansive shopping center spanning an approximately 30-hector area from Nuruosmaniye to Beyazıt. Excluding its two central buildings (Bedestan), it consisted of 61 streets, and of more than forty interconnected shopping complexes. On each of the streets of varying sizes bearing the names of the kind of trade being carried out there, all kinds of commercial products - especially household needs and clothing - were sold. In the photograph, is a street where the yağlıkçı sellers were located. In the area on the left covered with iron grating, the water pump, and next to it, the axes, hooks, and ropes hung on the column, are interesting indications of the precautions taken against fire - something perpetually feared in Istanbul.

II. Mahmud ve Sultan Abdülaziz Türbesi'nin iç görünümü

Sultanahmet ile Çemberlitaş arasında, Divanyolu üstünde yer alan türbe 1840'ta Sultan Abdülmecid tarafından 1839'da ölen babası II. Mahmud için inşa ettirilmiştir. Türbeye bitişik hünkâr dairesi, yola bakan cephede türbedar odası, sebil, muvakkithane ve bahçesi ile küçük bir külliye oluşturan türbe, ampir üslubunun İstanbul'daki en başarılı uygulaması olarak değerlendirilmiştir ve büyük ölçekli padişah türbelerinin sonuncusudur. Türbeye daha sonra II. Mahmud'un kızları ve eşi Bezmiâlem Valide Sultan (ö. 1853) ile Sultan Abdülaziz (ö. 1876), son olarak da II. Abdülhamid (ö. 1918) gömülmüştür. Hünkâr dairesi zamanla hanedan üyeleri için türbe haline gelmiş, bahçe de Tanzimat ricalinin gömüldüğü bir hazireye dönüşmüştür.

An interior view of the Tomb of Mahmud II and Sultan Abdülaziz

The tomb is located at the lower end of the Divanyolu, running between Sultanahmet and Çemberlitaş. Sultan Abdülmecid had it built in 1840 for his father, Mahmud II, who died a year earlier. The tomb forms a small külliye, consisting of the Imperial quarters, which are adjacent to it, as well as the chambers of the caretaker of the tomb, a sebil (public water distribution site, a fountain,) a clockroom and a garden which are situated on the side of the Imperial quarters overlooking the road. It is considered to be the most successful example of the Imperial Style of architecture in Istanbul and is the last of the large tombs of the Padishahs. Later, the daughters of Mahmud II and his wife Bezmîalem Valide Sultan (d. 1853), Sultan Abdülaziz (d. 1876), and finally, Abdülhamid (d. 1918) were buried in the tomb. Over time, the Imperial Quarters were transformed into a tomb for the members of the dynasty. The garden was turned into a cemetery for high officials of the Tazminat period.

III. Ahmed Çeşmesi ve Sebili

Topkapı Sarayı'nın Bâb-ı Hümâyun denilen ana giriş kapısının önündeki meydanda bulunan yapı kuşkusuz Osmanlı su mimarisinin İstanbul'daki en güzel eseridir. Dört cephenin ortasında çeşmeleri ve köşelerdeki sebilleri, geniş saçaklı çatı örtüsü, zarif kubbecikleri, zengin taş, çini ve hat bezemeleriyle 1728-29 tarihli eser, Lâle Devri'nin sonunu olduğu kadar Osmanlı mimarlığının Batı'ya açılışını da simgeler.

The Fountain and the Sebil of Ahmed III

The edifice in the square in front of what is called the Imperial Gate (the outermost gate) of Topkapı Palace is undoubtedly the most beautiful example of Ottoman aquatic architecture. Dating from 1728-29, with its centrally situated fountains and sebils in each of its four corners, its overhanding roof, its elegant miniature domes, its rich tiles and its calligraphic embellishment, the work symbolizes the opening up of Ottoman architecture to the West toward the end of the Tulip Period.

Çemberlitaş

Bizans döneminde Constantinus Forumu adıyla anılan meydanın ortasında yer alan, bugünkü haliyle 35 metre yüksekliğindeki anıtın tepesinde kentin ikinci kurucusu I. Constantinus'u Apollon Helios olarak gösteren bir heykel vardı. 328'de dikilen anıt kentin geçirdiği yangınlardan ve depremlerden hayli etkilenmiş, gövdesi demir çemberlerle güçlendirildiğinden bu adla anılır olmuştur. Divanyolu'ndan alınmış fotoğrafta sağda Çemberlitaş Hamamı'nın kadınlar kısmı, arkada ise Atik Ali Paşa Camii görülüyor. Yolun sonundaki kubbeli yapı ise Merzifonlu Kara Mustafa Paşa Külliyesi'nin dersane-mescididir.

Çemberlitaş

Standing in the middle of the square known during Byzantium era as the Forum of Constantine, is a monument 35 meters high. Originally, there stood upon it a statue of Constantine I as Apollo. The monument, constructed in 328, has been damaged over the years by the city's fires and earthquakes. Because of the iron rings used to reinforce the column, it became known as "çemberlitaş" ("ringed stone"). On the right hand side of the photograph, taken from Divanyolu, is the women's section of the Çemberlitaş Hamam, and behind that, the Atik Ali Pasha Mosque. The domed building at the end of the road is where the classrooms and mescid (small mosque) of the Merzifonlu Kara Mustafa Pasha Külliye were located.

Sur üstünden Yedikule'ye bakış

*Kenti çevreleyen Bizans surlarının Marmara Denizi'yle kesiştiği yerde bulunan Yedikule,
II. Mehmed'in (Fatih) 1457-58'de surların iç tarafına inşa ettirdiği üç kule ve onları çevreleyen
hisarla bu adı almıştır. Ana kapısı kara surları tarafında yanlarında iki kule yükselen, Bizans
imparatorlarının zafer alaylarıyla kente girişlerinde kullandıkları Altın Kapı'dır. Kara
surlarındaki öbür iki kule de Bizans yapısıdır. Osmanlı döneminde hazine ve uzun süre zindan
olarak kullanılan bu iç hisar günümüzde müzedir. Fotoğraf 19. yüzyıl sonlarında surdibi
yerleşmesini göstermesi bakımından ilginçtir. Arkadaki seyrek konut dokusunun önündeki
bahçeler ve bostanlar, İstanbul'un kır kent iç içeliğini ve kendine yetme özelliğini yansıtmak-
tadır.*

A view of Yedikule from above the city walls

*Yedikule is the place where the city walls of Byzantium surrounding the city meet the Sea of
Marmara. It takes its name from the three towers and the fort surrounding them that Mehmed
II (Fatih) had built on the interior side of the city walls between 1457-58. The main gate, on the
side of the city walls facing the land, which the victorious regiments of the Byzantine Empire
had used, is the Golden Gate. The other two towers on the land side of the city walls are also
of Byzantine construction. This interior fortress was used during the Ottoman era, by the
treasury and for a long time, as a dungeon. Today it is a museum. The photograph is interest-
ing in terms of the settlement near the city walls toward the end of the 19th century. The
sparsely populated areas in the back, along with the gardens and the orchards in front, reflect
not only the integration of the urban and the rural in Istanbul but its self-sufficiency as well.*

Eminönü'nden Galata'ya bakış

İstanbul'un karşı yakası sayılan Galata, Bizans'ın son döneminde (1261-1453) bir Ceneviz kolonisi olarak ticaret bölgesi kimliği kazanmış, Cenevizliler buradaki varlıklarının simgesi olarak 1349'da Galata Kulesi'ni inşa etmişlerdi. Osmanlı döneminde de ticaret bölgesi olma özelliğini sürdüren Galata, 19. yüzyılda Unkapanı ve Galata köprüleriyle İstanbul'a bağlanınca ardındaki Pera (Beyoğlu) bölgesinin gelişmesine koşut olarak kent içindeki konumu daha da güçlenmişti. Fotoğraf 1892'den önce çekilmiş olmalı ki Osmanlı Bankası'nın heybetli binası gözükmüyor. Köprünün bitiminde soldaki pembe cepheli bina Aziziye Karakolu, sağdaki ise Crédit Lyonnais Bankası. Sağda deniz üstündeki altı katlı ahşap yapı ise muhtemelen deniz hamamı.

A view of Galata from Eminönü

Considered the opposite side of Istanbul. Galata acquired its identity as a commercial district when it was a Genoese colony during the late Byzantine era (1261-1453). The Genoese built the Galata Tower in 1349 as a symbol of their presence there. Galata maintained its identity as a commercial district in the Ottoman era. With the construction of the Unkapanı and Galata bridges in the 19th century and the parallel development of Pera (Beyoğlu), located behind it, Galata's position within the city became even stronger. The photograph must have been taken prior to 1892 since what was later to become the imposing Ottoman Bank building is not seen. The pink building just at the end of the bridge is the Aziziye Police station. To its right is the Crédit Lyonnais Bank. The six-storey wooden edifice above the sea is most likely a sea hamam.

Ortaköy Camii

Boğaziçi'nin Rumeli kıyısındaki iki minareli tek selâtin camii olan Ortaköy Camii 1853'te inşa edilmiştir. Yapıldığı dönemde zarif yalıların ve sahilsarayların sıralandığı kıyı boyunun denize uzanan küçük bir dilinde yer alan cami, narin yapısıyla bu peyzajı bütünlemiştir. Giriş bölümünü boydan boya kaplayan iki katlı yapı hünkâr mahfilidir ve ana kapısının deniz tarafında oluşu caminin deniz yoluyla yapılan cuma selâmlığı törenleri için planlandığını gösterir. Sol geride ortada üçgen alınlığı görülen yapı, daha çok Esma Sultan Sarayı olarak tanınan Cemile Sultan Sarayı'dır. Karşı kıyıda ise Beylerbeyi Sarayı belli belirsiz görülüyor.

The Ortaköy Mosque

Built in 1853, the Ortaköy Mosque is the only Imperial mosque on the European side of the Bosphorus having two minarets. The mosque was located amidst a string of elegant waterfront mansions and palaces, on a small strip of land extending to the sea. With its refined construction, the mosque complements the landscape. The two-storey structure completely covering the entrance to the mosque is the Imperial quarters. The fact that the main door is located on the side of the mosque facing the sea indicates that it had been designed to accommodate the Friday ceremonies marking the public procession of the Sultan coming to the mosque from the sea. The building on the left toward the back with the triangular facade is the Cemile Sultan Palace - better known as Esma Sultan Palace. On the opposite shoreline, barely visible, is the Beylerbeyi Palace.

Dolmabahçe Sarayı'na uzaktan bakış

Eski Beşiktaş Sahilsarayı'nın yerine yapılan Dolmabahçe Sarayı resmen açıldığı 1856'dan sonra Osmanlı padişahlarının resmi konutu olmuştur. Çevre de bu oluşuma koşut olarak değişmiştir. Fındıklı'daki Çifte Saraylar'ın çatısından alındığı anlaşılan bu fotoğrafta önde Sinan'ın eseri Molla Çelebi Camii görülüyor. Solda Karaköy'den Beşiktaş'a uzanan anayolun dar ve kıvrımlı hali görülüyor. Yol bu durumunu 1957'deki yıkıma kadar büyük ölçüde korumuştur. İleride Bezmiâlem Valide Sultan'ın yaptırdığı 1855 tarihli Dolmabahçe Camii yer alıyor. Dolmabahçe Sarayı'nın arkasında sırtlardan kıyıya doğru uzanan Beşiktaş yerleşmesi, en soldaki tepede de Maçka Silahhanesi seçiliyor. İleride kıyıda Fer'iye sarayları, Çırağan Sahilsarayı, hemen arkasında Mecidiye Camii ve Yıldız Korusu, en sağda da belli belirsiz Ortaköy Camii görülüyor.

A distant view of the Dolmabahçe Palace

Built in place of the former Beşiktaş Waterfront Palace, Dolmabahçe Palace was officially opened in 1856, after which it became the official residence of the Ottoman Padishahs. The environs also became transformed as a result. In the foreground of this photograph, obviously taken from the roof of the Çifte Palaces in Fındıklı, is the Molla Çelebi Mosque, built by Sinan. On the left, is the narrow and twisted main thoroughfare extending from Karaköy to Beşiktaş. The road stayed in more or less the same state until it was demolished in 1957. In the distance, is the Dolmabahçe Mosque dating from 1855, commissioned by Bezmiâlem Valide Sultan. Seen from the hills behind Dolmabahçe Palace, extending down toward the coast, is Beşiktaş. On the hill, to the far left, is the Maçka Armory. In the distance, on the coast, are the Fer'iye palaces and the Çırağan Seaside Palace. Just behind it are the Mecidiye Mosque and Yıldız Woods. Barely perceivable, to the far right, at the very end of the coast, is the Ortaköy Mosque.

Yıldız Camii'nde bir Cuma Selâmlığı

Cuma namazının cemaatle birlikte camide kılınması zorunluluğu aynı zamanda halife olan padişahlar için de yerine getirilmesi gerekli bir görevdi. Bu amaçla padişahın saraydan çıkıp seçtiği bir camiye gitmesi sırasında düzenlenen törene önceleri Cuma Alayı denirdi. 19. yüzyılda selâmlık resmi, Cuma Selâmlığı adını alan tören ayrıca halkın padişahı sağ ve sağlıklı olarak görmesi bakımından da anlamlıydı. II. Abdülhamid güvenlik nedeniyle Yıldız Sarayı'na yerleştikten sonra 1886'da sarayın hemen dışında yer alan Yıldız Camii'ni salt bu gereği yerine getirmek için inşa ettirmişti. Fotoğraf bu tören sırasında alınmıştır. Minareye bitişik gibi gözüken ana kapıdan arabayla çıkan padişah yaklaşık 100 m uzaklıktaki camiye gelir, bu kısa yol boyunca sıralanan askerleri ve sadık bendelerini selâmlardı. Fotoğrafta yokuştan inen aralıklı saflar halindeki zuhaf alayı, caminin avlu duvarlarının altında bölük bölük dizilmiş süvari ve piyade askerleri görülüyor. Soldaki araba topluluğu ise namaza katılan yüksek düzeydeki devlet görevlilerine ait. Sol üstteki büyük yapı Büyük Mabeyn Dairesi. Sol arkasında da Çit Kasrı'nın bir bölümü seçiliyor. Büyük Mabeyn'in önündeki tek katlı beyaz yapı yabancı elçilik mensuplarının töreni seyretmeleri için yaptırılan Seyir Köşkü ya da öbür adıyla Set Köşkü. Üstte en sağdaki yapı da Silâhhane.

A Friday Public Procession of the Sultan (Selamlık) at the Yıldız Mosque

It was the duty of Padishahs who were also Caliphs to perform Friday prayers at a mosque with the congregation. The ceremony held while the Padishah left palace and went to a mosque he had chosen was called the Friday Procession. Besides being an official carrying out of duties by the Padishah, this regular public procession of the Sultan was a way in which the public could see that he was alive and well. After moving into the Yıldız Palace for reasons of security, Abdülhamid had the Yıldız Mosque built only 100m from the palac just so that he would be able to fulfill the duty of Friday procession. The photograph is of this ceremony. The Padishah riding in a horse-drawn carriage, would come out through the main gate, go to the mosque, all the while being greeted along this short route by soldiers and faithful servants. In the photograph, standing in rows extending down the hill is the Zouave regiment; while along the walls of the court-yard of the mosque are the cavalry and infantry lined up in formation. The group of carriages on the left belong to the high level state officials who are participating in Friday prayers. The large building in the upper left hand corner, houses the private chambers of the Padishah where he accepts male visitors and guests (the Büyük Mabeyn Dairesi). Behind it, on the left is part of the Çit Mansion. The single-storey white building in front of the private quarters of the Padishah is the Seyir ("spectacle") Kiosk, also known as Set Kiosk, built so as to enable members of the foreign diplomatic community to observe ceremony. The building on the far right at the top is the Armory.

Eyüp Mezarlığı'ndan Haliç'e bakış

İstanbul halkının kutsal saydığı yerlerden olan Eyüp Sultan Türbesi çevresi, Osmanlı dönemi boyunca hem büyük bir semt hem de mezarlık alanı olarak gelişmiştir. Önde serviler arasından mezarlık, kıyıda ağaçların örttüğü beyaz bina İplikhane, sağda Eyüp kıyıları ve bir vapurun yanaştığı Eyüp İskelesi, ileride Defterdar Fabrikası ve Ayvansaray kıyıları görülüyor. Solda Sütlüce yerleşmesinin sonunda 1803/04 tarihli Mihrişah Valide Sultan Camii fark ediliyor. İlerisi Hasköy, birbirine rampa etmiş direkli gemilerin bulunduğu yer ise tersane. Tersanenin ardındaki koyu rengiyle ayırt edilebilen bölge de Kulaksız Mezarlığı. En geride bir siluet halinde İstanbul uzanıyor.

A view of the Golden Horn from the Eyüp Cemetery

The vicinity around the Tomb of Eyüp Sultan, considered one of the holiest places by the people of Istanbul, developed during the Ottoman era into both a large neighborhood and cemetery. In the foreground, is the cemetery located in a grove of cypress trees; the white building on the coast, partially blocked by the trees is the İplikhane; to the right is the coastline of Eyüp and a boat approaching the Eyüp Wharf; further ahead is the Defterdar Factory and the coastline of Ayvansaray. On the outskirts of the Sütlüce settlement on the left is the Mihrişah Valide Sultan Mosque, built in 1803/1804. Beyond that is Hasköy and the dockyard where masted ships are lined up one after the other. The area behind the dockyards, detectable by its dark color, is the Kulaksız Cemetery. The silhouette of Istanbul stretches into the distance.

Sa'dâbâd Mesiresi

Batılıların "Avrupa'nın tatlı suları" olarak adlandırdıkları Alibey Deresi ile Kâğıthane Deresi'nin arasında ve iki yanında yer alan ağaçlarla süslü bu yeşil alan yalnız İstanbul halkının değil padişahların da gözde mesiresiydi. Bu yüzden özellikle Kâğıthane Deresi çevresi saraylarla, kasırlarla, köşklerle bezenmiş, mesire boyunca dereye taş rıhtım inşa edilmiş, bir bölümü "Cedvel-i Sîm" (Gümüş Cetvel) denilen düz bir hat biçiminde düzenlenmiş, arkasına da sun'i çağlayanlar yapılmıştı. Fotoğrafta mesirenin Haliç kıyısına yakın kesimi görülüyor. Önde ahşap Sünnet Köprüsü, arkada Sultan Abdülaziz döneminde (1861-1876) Avrupa şaleleri tarzında yenilenen İmrahor Kasrı yer alıyor. Atlı arabalarla ya da sandallarla gelen halk kıyıda ve ağaç altlarında "piknik" yapıyor, bir bölümü ise sandalla "tenezzüh"te bulunuyor.

Sa'dâbâd Promenade

The tree-lined green area located between and on either side of what the Westerners called "Europe's fresh waters" Alibey Deresi ("Stream") and Kâğıthane Deresi, was once the most popular area for excursions not only for the people of Istanbul but the Padishahs as well. This is why palaces, summer houses, and kiosks adorned the environs of the Kağıthane Deresi and a stone quay was constructed along the promenade to the stream. Part of the promenade was arranged in the form of a straight line called the Cedvel-ı Sîm (Silver Ruler). Behind it, artificial waterfalls were built. Seen in the photograph is the part of the promenade closest to the coastline of the Golden Horn. In the foreground, there is the wooden Sünnet Bridge. Behind that, is the Imrahor Kasrı (summer palace), renovated during the reign of Sultan Abdülaziz (1861-1876) in the style of European chalet. People are coming in horse-drawn carriages and small boats and are picnicking on the shore and beneath the trees. Some are enjoying themselves on the small boats.

Üsküdar'da bir sokak

*Yahya Kemal Beyatlı'nın bu fotoğraftan belki elli yıl sonra yazdığı "Üsküdar'ın Dost Işıkları" adlı şiirinde "köhne"
sözcüğüyle nitelemesinden pek değişmediğini anladığımız Üsküdar'dan tipik bir sokak. Sağda iki katlı basit bir ahşap ev,
bitişiğinde taş minareli, ahşap mahalle mescidi. Önünde sonradan eklenmiş gibi duran derme çatma bir dükkân. Karşıda
yığma taş duvarın gerisinde belki de mescide ait küçük hazire. Öndeki taş sütun ise ileriideki kiremit çatılı çeşme için
yapılmış su terazisi olmalı. Çeşmenin arkasında ağaçların arasından çatısı görülen yapı büyükçe bir konağa benziyor.
İlerde belli belirsiz iki minaresi görülen cami Gülnûş Emetullah Valide Sultan, diğer adıyla Yeni Valide Camii. Arnavut
kaldırımı döşeli sokaktaki insanlar da o devrin bütün kıyafet farklılığını yansıtıyor. Soldaki İstanbulinli bey kâtip
sınıfından olmalı. Sağında karşıda gelen kişinin ise ceket ve pantolon giydiği farkediliyor. Sarı cepkenli, kırmızı poturlu
ise belli ki taşra kökenli, esnaftan biri. At arabasını çekenin dolama başlıklı, yelekli bir çocuk olduğu anlaşılıyor. Ellerini
arkasına kavuşturmuş, cübbeli, sarıklı zâtın da "hoca efendi" olduğu gün gibi âşikâr.*

A streeet in Üsküdar

*A typical street in Üsküdar that lives up to the meaning of the term "dilapidated" used by Yahya Kemal Beyatlı in his poem, "The
Friendly Lights of Üsküdür", perhaps 50 years after this photograph was taken. On the right, is a simple two-storey wooden house;
adjacent to it is a wooden neighborhood mescid with a stone minaret. In front, is a jerry-built shop, looking as if it were later added
on. Behind the solid stone wall across from it is a small cemetery, perhaps belonging to the mescid. The stone column in front must
be the water tank built for the red rooftiled fountain. The building whose roof is seen from among the trees behind the fountain looks
like a rather large mansion. In the distance, the mosque whose two minarets are barely visible is the Gülnûş Emetullah Valide Sultan
Mosque, otherwise known as the Yeni Valide Mosque. The people walking down the cobblestone pavement reflect all of the variety of
clothing worn during that era. The man on the left wearing a frock coat must be a clerk. The person coming towards him on his right
is wearing a jacket and trousers. The man wearing a stout yellow jacket and peasant breeches is a merchant, obviously of rural ori-
gins. The child pulling the water cart is in the dolman and vest. And the man walking with his hands folded behind him wearing a
long-sleeved robe and turban is clearly a "hoca efendi" (a respected teacher of religion).*

Karacaahmet Mezarlığı

Üsküdar sırtlarından başlayıp Ayrılık Çeşmesi'ne kadar uzanan İstanbul'un bu en büyük mezarlığı, her biri ayrı adla anılan on dört bölümden oluşur. Anadolu, Arabistan Yarımadası'nın uzantısı sayıldığından burası "Mekke toprağı", "Peygamber toprağı" olarak nitelenmiş, bu yüzden Müslümanların rağbet ettikleri bir mezarlık olarak genişlemiştir. Osmanlı taş işçiliğinin ve hat sanatının sayısız örneklerinin yer aldığı mezarlık günümüzde hayli tahribe uğramış durumdadır ve bir servi ormanı görünümüyle bütünlediği Üsküdar siluetindeki yerini de yitirmiştir.

The Karacaahmet Cemetery

Extending from the hills of Üsküdar to the Ayrılık Fountain and consisting of fourteen uniquely named sections, Karacaahmet is Istanbul's largest cemetery. Because Anatolia is considered an extension of the Arabian Peninsula, the cemetery was seen as "the soil of Mecca," and "the soil of the Prophet." As a result, it became very popular among Muslims and expanded accordingly. Although the cemetery contains innumerable examples of Ottoman masonry and calligraphy, has fallen into ruin. It also has lost its appearance as a cypress grove in the silhouette of Üsküdar.

Kızkulesi

İstanbul'un kuşkusuz en çok efsaneye konu olmuş yapısıdır. Marmara Denizi'nin İstanbul Boğazı ile buluştuğu yerde, Şemsipaşa-Salacak arasında kıyının 100 m kadar açığındaki bir kayanın üzerine inşa edilmiş kulenin varlığı 12. yüzyıla kadar gitmektedir. Önceleri ahşap olan kule 1719'da fener olarak kullanılırken yanmış, bundan sonra kâgire çevrilmiştir. Fotoğraftaki görünümünü ise 1832/33'teki onarımdan sonra almıştır. Uzun tarihi boyunca fener, gözetleme kulesi, gümrük, hapishane, karantina, haberleşme istasyonu gibi değişik işlevler görmüştür. Kızkulesi ile Galata Kulesi'ni karşılıklı bakışır gibi gösteren bu fotoğraf, şairin "Şu Kızkulesi'nin aklı olsa Galata Kulesi'ne varır / Bir sürü çocukları olurdu" dizelerini doğrusu haklı çıkarır bir açıdan çekilmiş.

Kızkulesi

It is by far the most legendary edifice in Istanbul. Constructed on a rock about 100 meters from the shore between Şemsipaşa and Salacak where the Sea of Marmara and the Istanbul Straits meet, it has a history that goes all the way back to the 12th century. The tower, originally made out of wood, burned down in 1719 as it was being used as a lighthouse. After that, it was reconstructed in kâgir. Its appearance in the photograph is what it looked like after the repairs made in 1832/33. During its long history, it has served such various functions as lighthouse, watchtower, customs, prison, quarantine, and communications station. This photograph, which makes it look like the Kızkulesi and the Galata Tower are staring at one another, makes the words of the poet ring true: "If she knew any better, this Kızkulesi would embrace the Galata Tower/They would have a great many children."

Büyükada'dan Heybeliada'ya bakış

Bizans'ın manastırlardan dolayı "Keşiş Adaları", Batılılar'ın Bizans soylularının sürgün yeri olmasından ötürü "Prens Adaları", Türkler'in ise topraklarının rengine göre "Kızıl Adalar" dedikleri bu irili ufaklı dokuz adanın en büyüğü olan Büyükada bile 19. yüzyılın ikinci yarısına kadar bir balıkçı köyü görünümündeydi. Ancak bundan sonra İstanbul'daki yabancı, levanten ve Rum zenginlerinin yazlığı olarak gelişmeye başlamış, düzenli vapur ulaşımının sağlanmasıyla nüfus hızla artmıştır. Fotoğrafın çekildiği 19. yüzyıl sonlarında görüldüğü gibi ada Batı tarzı kâgir, Osmanlı tarzı ahşap köşklerle, şalelerle donanmış, kent içinde bile olmayan mimari çeşitliliğe ev sahipliği yapmıştır. Hristos Tepesi eteklerinden çekilen bu fotoğrafta heybeye benzeyen iki tepesi açıkça görülen Heybeliada'nın sağdaki tepesinin üstünde Trias (Aya Triada) Manastırı ve Ruhban Mektebi yer almaktadır.

A view of Heybeliada from Büyükada

The nine islands of various sizes were called the "Islands of the Monks" by the Byzantines because of their monasteries; the "Prince Islands" by Westerners because they were where the Byzantine aristocracy were exiled; and the "Red Islands" by the Turks because of the color of their soil. Büyükada ("Big Island"), the largest of them, was a fishing village even until the second half of the 19th century. However, after that wealthy foreigners, Levantines and Greeks from Istanbul began to built their summer homes there. With the establishment of regular boat service, the population of the islands rapidly increased. As seen from the photograph, taken toward the end of the 19th century, the island had been outfitted with western-style stone buildings, Ottoman-style wooden kiosks, chalet and a variety of architectural styles unseen even in the city. In this photograph, taken along the edge of Hristos Tepe (Hill), the Trias (Saint Trinity) Monastery and the School of Divinity can be seen aloft the hill on the right side of Heybeliada, (Saddle bag Island) which, with its two hills, looks indeed like a saddle bag.

Kuzguncuk sırtlarından Boğaziçi'ne bakış

İcadiye tepesinden çekilen bu fotoğrafta Boğaziçi sırtlarının bitki örtüsünün bozulmamış hali ve kıyılardaki küçük yerleşmeler görülüyor. Sağda Boğaziçi'nin Anadolu kıyısındaki iki minareli tek selâtin camii olan Beylerbeyi Camii, koyun ilerisinde sarı-beyaz cephesiyle Kuleli Kışlası, Vaniköy ve Kandilli yerleşmeleri yer alıyor. Kandilli sırtlarında, koru içinde beyaz kütlesi farkedilen yapı Adile Sultan Sarayı. Karşıda Rumeli Hisarı'nın iki büyük kulesi ve Robet Kolej'in Hamlin Hall adlı yapısı seçiliyor. Sola doğru kıyıda Rumelihisarı-Bebek arası yalıları ile Akıntıburnu görülüyor.

A view of the Bosphorus from the hills of Kuzguncuk

In this photograph taken from İcadiye Hill, are the pristine flora of the hills of the Bosphorus and its small coastal settlements. On the right is the Beylerbeyi Mosque, the only imperial mosque on the Anatolian side of the Bosphorus having two minarets; beyond the bay, is the yellow and white-painted Kuleli Barracks, and the Vaniköy and Kandilli settlements. The building that appears as a white mound in the wooded hills of Kandilli is the Adile Sultan Palace. On the opposite side of the Bosphorus are the two large towers of Rumeli Hisarı and Hamlin Hall of Robert College. On the left, toward the coast, are Akıntıburnu and the waterfront mansions between Rumelihisarı and Bebek.

Rumeli Hisarı

Fatih Sultan Mehmed'in 1452'de, dört ayda inşa ettirdiği Rumeli Hisarı, fetihten sonra stratejik önemini yitirmiş, uzun süre hapishane olarak kullanılmış, 19. yüzyılda ise fotoğrafta görüldüğü gibi içinde küçük bir mahalle oluşmuştu. Üç büyük kulesinden kıyıya yakın olanı Çandarlı Halil Paşa, tepede soldaki Zağanos Paşa, sağdaki Saruca Paşa adlarını taşır. Saruca Paşa Kulesi'nin önünde ve arkasında Rumelihisarı yerleşmesi, Zağanos Paşa Kulesi'nin solunda Robert Kolej'in Hamlin Hall ve Kennedy Lodge (sağda) adlı yapıları, kıyıda ise Kayalar Mezarlığı görülüyor.

The Rumeli Hisarı

Built in four months in 1452 by Fatih Sultan Mehmet, Rumeli Hisarı lost its strategic importance after the conquest of Istanbul. It was used for a long time as a prison. A small neighborhood grew within its environs in the 19th century, as seen from the photograph. Of its three large towers, the one closest to the coast is called Çandarlı Halil Pasha. On the hill, to the left, is Zağanos Pasha, and to the right is Saruca Pasha towers. In front of and behind Saruca Pasha Tower is the settlement of Rumelihisarı. The buildings to the left of Zağanos Pasha Tower are Robert College's Hamlin Hall and Kennedy Lodge (on the right). On the coast is Kayalar Cemetery.

Robert Kolej'den Boğaziçi'ne bakış

ABD dışındaki en eski Amerikan koleji olan Robert Kolej 1855'te kurulmuştur. Fotoğrafın çekildiği Hamlin Hall adlı yapının tarihi 1871, Zağanos Paşa Kulesi'nin ardındaki yan yana üç kırma çatılı Kennedy Lodge adlı yapının ise 1891'dir. Karşıda da Çubuklu-Anadoluhisarı arasında yalılar ve Boğaziçi sırtlarının doğal örtüsü görülüyor.

A view of the Bosphorus from Robert College

Founded in 1855, Robert College is the oldest American college outside the continental United States. The building where the photograph was taken is Hamlin Hall, built in 1871. The building with the three hipped roofs behind Zağanos Pasha Tower is Kennedy Lodge, built in 1891. In the distance, on the other side of the Bosphorus, are the waterfront mansions between Çubuklu and Anadoluhisarı, and the natural contours of the hills surrounding the Bosphorus.

Göksu Deresi'nden Anadolu Hisarı'na bakış

Batılıların "Asya'nın tatlı suları" olarak adlandırdıkları Küçüksu ve Göksu dereleri ile aralarındaki Küçüksu çayırı Boğaziçi'nin Anadolu yakasındaki en gözde mesireydi. İstanbul Boğazı'nın en dar yerindeki Anadolu Hisarı, I. Bayezid'in (Yıldırım) İstanbul'u fethetme girişiminin bir parçası olarak 1394/95'te inşa edilmiştir. Rumeli Hisarı gibi, fetihten sonra değerini yitirmiş, uzun süre hapishane işlevi görmüş, sonra da içine, duvarlarının üstüne ve çevresine evler yapılmıştır. Fotoğrafta bu olgunun yanı sıra Anadoluhisarı köyünü Küçüksu'ya bağlayan ahşap köprü, dereboyu yalıları ve sandal gezintisi yapanlar görülmektedir.

A view of the Anadolu Hisarı from the Göksu Stream

The meadow located between what the Westerners called "Asia's fresh waters," Küçüksu and Göksu, was the most popular area for excursions on the Anatolian side of the Bosphorus. Positioned on the narrowest part of the Bosphorus, Anadolu Hisarı was constructed by Bayezid (Yıldırım) I in 1394/95 as part of his efforts to conquer Istanbul. This little fortress, located on a flat piece of land on the coast suffered the same loss of importance as that of Rumeli Hisarı, opposite it on the Bosphorus, after the conquest. For a long time it served as a prison. Later, houses were build within it, on top of its walls, and around its perimeter. Included in this photograph is also the wooden bridge connecting the village of Anadoluhisarı with Küçüksu, the waterfront mansions and the people taking a small boat trip.

Haliç'ten Süleymaniye'ye bakış (Kapak)

Kıyıda İstanbul'un ticaret bölgesinin iskeleleri (yemiş, çardak, odun, yağ kapanı) ve hanları, yamaca doğru yeşillikler içinde tüccar konakları ve tepede Sinan'ın İstanbul'daki en büyük eseri Süleymaniye Camii görülüyor. Solundaki kâgir yapı Erkân-ı Harbiye-i Umumiye Dairesi olduğu sırada 1911'deki Mercan yangınında harabezâra dönen Âli Paşa Konağı. En sağdaki cesîm yapı ise Ağakapısı yani Yeniçeri Ocağı'nın merkezi iken 1826'dan sonra şeyhülislamlık dairesi olunca Bâb-ı Meşihat (Şeyhülislâmlık kapısı) adıyla anılmaya başlanmıştır. Solda kıyının hemen arkasında tek minareli Rüstem Paşa Camii ile sağında tek kubbesi görülen Fatih dönemi eseri Tahtakale Hamamı.

View of Süleymaniye from the Golden Horn (Cover)

On the coast, are the docks containing fruit, pergolas, wood, and public scales for weighing oil) of the commercial district of Istanbul and large commercial buildings; located within wooded areas on the slope of the hill, are the residences of merchants; and at the very top of the hill, is the Süleymaniye Mosque, Sinan's grandest work in Istanbul. To the left, the stone building, which used to house the Offices of the General Staff, is the Ali Pasha Mansion, which was destroyed during the Mercan fire in 1911. The huge building to the far right, is Ağakapısı, in other words the headquarters of the Janissary Corps, which became known as the Bab-ı Meşihat ("door of the sheihkulislam") when it came to house the offices of the Sheikulislam in 1826. On the far left, just beyond the coast, is the Rüstem Pasha Mosque, which has a single minaret. To its right, the single-domed Tahtakale Hamam, which survives from the Fatih period.

Oğlak / İstanbul Kitapları

İstanbul İstanbul İken / Eser Tutel
Yıldızlar Altında İstanbul / Selim İleri
Beyoğlu Beyoğlu İken / Eser Tutel
Şark Günlüğü / Le Courbosier *(Hazırlanıyor)*
İstanbul'u Yel Üfürdü, Su Götürdü / Eser Tutel *(Hazırlanıyor)*

Oğlak Albümleri

İstanbul / Bir Albüm - Constantinople / An Albüm
İstanbul Sokak Satıcıları / (Hazırlanıyor)